Gallimard Jeunesse / Giboulées sous la direction de Colline Faure-Poirée

© Éditions Gallimard Jeunesse, 1998
ISBN : 2-07-051531-1
Premier dépôt légal : avril 1998
Dépôt légal : octobre 2005
Numéro d'édition : 16146
Loi n°49956 du 16 juillet 1949
sur les publications destinées à la jeunesse
Imprimé en France par *Partenaires-Book*® (JL)

Hugo l'Asticot

Antoon Krings

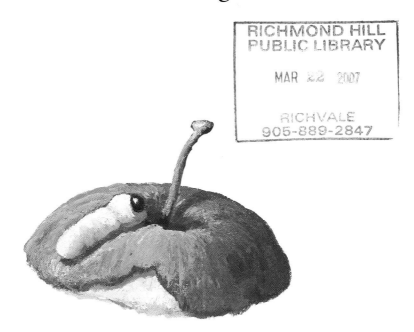

GALLIMARD JEUNESSE / G i B O U L É E S

Il était une fois un ver qui s'appelait Hugo et qui était fort peu courtois. Il habitait une pomme qui le logeait généreusement et le nourrissait abondamment. Une pauvre pomme en somme, que le vilain se moquait pas mal de croquer jusqu'au trognon. Chaque jour, il creusait de nouvelles galeries étroites et sinueuses.

Il y en avait tant que parfois il s'égarait lui-même dans ce dédale de couloirs.

Bien qu'il fût un ver très ordinaire,
Hugo se sentait plein d'importance.
Il fallait le voir passer fièrement la tête
hors de son trou, et s'il restait ainsi
pendant des heures sur le pas de sa
porte, ce n'était pas pour savourer l'air
léger, mais plutôt pour épier ses voisins
et les asticoter. C'est pourquoi tout
le monde l'appelait avec agacement
« l'asticot ».

Il arrivait qu'un lutin tente de grimper au pommier pour y voler des fruits. Alors, pendant qu'il montait péniblement au tronc de l'arbre, Hugo répétait en ricanant :
« Le petit nain qui monte…
qui monte… qui monte… »

Et quand, enfin, il parvenait à se cramponner à une branche, Hugo ne souhaitait qu'une chose : que la branche casse brusquement et que boum, badaboum, le lutin dégringole jusqu'en bas. Alors l'asticot reprenait en riant : « Le petit nain qui monte…
qui monte… et qui descend ! »

Lorsqu'il voyait Mireille l'abeille partir au travail, Hugo prenait un air faussement apitoyé pour dire :

« Pourquoi vos fleurs ont-elles si mauvaise mine ce matin, Mamzelle ? Je les vois qui pendent du nez, flétries, fanées… Volez vite à leur secours ! »

Et il riait, riait de la pauvre abeille effrayée qui filait à toute allure !

« Ah si seulement vous aviez comme moi le gîte et le couvert, vous n'auriez pas à vous en faire… »

Hélas, on ne comptait plus les histoires
sur les vilaines farces ou les railleries
de notre asticot.
« Vous verrez, répétaient les vermisseaux
du coin. Un jour, il lui arrivera
des pépins. »
Ils ne croyaient pas si bien dire, car
dans le jardin, une étrange conspiration
se préparait.

Ce soir-là, Hugo dormait
profondément au fond de sa pomme,
quand soudain de terribles secousses
agitèrent le fruit. Diable ! Quelle
tempête ! Hugo eut à peine le temps de
bondir hors de son lit qu'il tomba
à la renverse en criant de frayeur :
« Au secours ! Au secours ! »

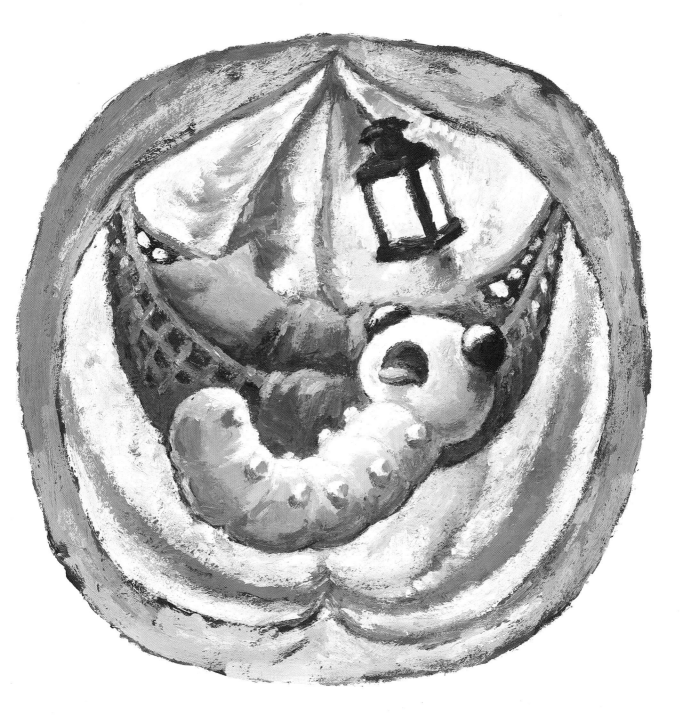

À l'extérieur, les conspirateurs s'en donnaient à cœur joie. Ils secouaient la pomme, la bousculaient, l'ébranlaient, tant et si bien qu'elle se détacha de la branche et tomba au pied de l'arbre.

Hugo, qui ne s'était pas fait le moindre mal, gesticulait, furieux au milieu de sa maison en morceaux. Quelle déconfiture !

– Regardez ! s'esclaffa Mireille. Il est tout nu à présent… nu comme un ver !

– Nu comme un ver ! s'écriaient ses amis en pouffant de rire. Malheureusement, notre asticot ne comprit pas la plaisanterie et s'en alla en maugréant, penaud, fâché, ridicule.

Mais comme il n'avait jamais passé
la nuit dehors, il fut très inquiet.
Alors il se glissa dans un chou. C'était la
maison d'une grosse limace terriblement
bavarde qui s'appelait Grace.
– Oh, mon Dieu, ce que vous êtes pâle !
Tenez, mangez un peu de chou, c'est
excellent pour la santé.
– Merci, mais je…

– Ta-ta-ta, mangez-en, mangez-en. Vous êtes si menu.

– Je préfère encore mordre dans les pommes, murmura assez fort l'asticot.

– Ta-ta-ta, reprenez-en. J'insiste, et ne parlez pas la bouche pleine, mon petit chou, c'est très mal élevé, dit-elle.

Et plus Grace parlait, plus elle bavait. Aussi Hugo, qui commençait à regretter son pommier, ne fut pas mécontent de lui fausser compagnie à la première occasion.

Après un long voyage pour atteindre les branches hautes de l'arbre, le pauvre n'y trouva plus de pommes. Elles étaient déjà tombées depuis bien longtemps. Cependant, l'arbre était couvert de fleurs et il promettait de donner de beaux fruits.

Alors, en attendant de retrouver la chaleur d'une nouvelle demeure, Hugo se fit très petit et aussi très gentil, et tout le monde dans le jardin s'en réjouit.